decor
D0432534
actrice
spot
regisseur
acteur
podium
applaus

Zwijsen

Wouter Kersbergen

Casper Nova

met tekeningen van Jan van Lierde

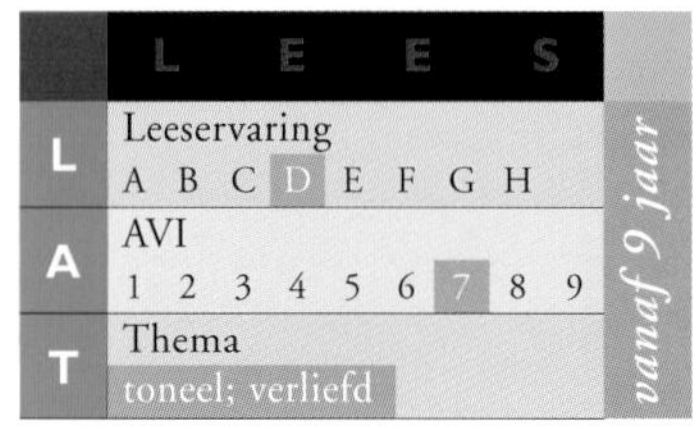

Toegekend door KPC Groep te 's-Hertogenbosch.

Leesmoeilijkheid: afbrekingen

Naam: *Casper Nova*
Ik woon met: *mama, papa, oma Moes*
Dit doe ik het liefst: *dromen over Lies*
Hier heb ik een hekel aan: *niet weten of ze over mij droomt*
Mijn beste vriend(in) is: *Lies, maar ook mama en oma. Klinkt dat gek?*
Later word ik: *de man van Lies! Dat hoop ik tenminste ...*

1. Zwaargewicht

Ik sta op de weegschaal, mijn voeten zijn nog een beetje nat. Ik droog ze nooit af, net zomin als mijn haar trouwens. Er bengelt een druppel water aan het puntje van mijn neus. Rond mijn middel heb ik een grote witte badhanddoek geknoopt. Ik kijk in de spiegel en grinnik, ik lijk wel een sumoworstelaar! Vierendertig kilo, zegt het wijzertje tussen mijn tenen.
'Ik ben een beer van een vent!' Ik bal mijn handen tot vuisten, ik span mijn armspieren. Wat een spierballen, ik denk dat elke arm een kilo weegt. Ik neem de lippenstift van mama en teken mezelf op de spiegel. Dat is niet moeilijk, ik hoef alleen maar de omtrek van mijn lichaam te volgen. Af en toe sta ik rechtop om te kijken of het klopt. De lippenstift is bijna op, snel geef ik mijn spiegelbeeld nog rode lippen. Ik knipper met mijn ogen.
'Zo moet het zijn om als stripfiguur te leven!' Ik kijk terug naar de lijntjes die mijn armen voorstellen. Samen wegen mijn armen dus ongeveer twee kilo. Mijn benen wegen vast vier kilo, mijn hoofd misschien drie, mijn buik vast tien! Mijn longen wegen niks (die zitten vol lucht). Mijn achterwerk weegt twee kilo. Mijn handen en voeten samen drie … dat maakt samen zo'n vierentwintig kilo. Vreemd, waar zit de rest van mijn kilo's? Ik stap van de weegschaal. Rekenen is mijn ding niet, maar ik heb zo'n tien kilo over! Ik leg mijn rechterhand op mijn hart. Zou

het kunnen dat mijn hart tien kilogram weegt? En dat je hart bij elke verjaardag een kilogram zwaarder wordt? Hoe meer ik erover nadenk, hoe sneller het begint te kloppen. Beneden aan de trap roept oma. 'Waar blijf je zolang, Casper?'
Ik veeg mezelf met een rol toiletpapier van de spiegel.
Als ik me niet vergis, is oma achtenzestig jaar oud.
Volgens mijn berekeningen moet ze dan, uh ... ongeveer 140 kilogram wegen.
Met de weegschaal onder de arm hos ik de trap af.
'Oma, kom eens even hier ...'

2. Oma Moes

Daar zit ze dan, mijn enige oma. Opa is al jaren dood, en mijn andere twee grootouders heb ik nooit gekend. Zij waren al overleden voor ik geboren werd. Oma Moes woont sinds kort bij ons. Ze kijkt me over haar tijdschrift heen aan. 'Frisgewassen, Casper?' vraagt ze. Dan wijst ze naar de weegschaal onder mijn rechterarm.
'Wat ben je van plan?' vraagt ze nieuwsgierig. Haar ogen schitteren. Plots vind ik het maar een stom idee om oma te wegen.
'Uh, niks,' stamel ik. Oma schudt haar hoofd. Ik glimlach even en zet de weegschaal op de grond. Ik ga naast oma op de bank zitten, mijn benen trek ik op. Mijn voeten voelen koud aan. Oma kijkt even naar me op. 'Oefen je voor ijsbeer of zo? Straks vat je nog kou.' Ik schuif een beetje op, dichter naar oma toe. Ze slaat haar arm om me heen.
'Gezellig hè,' grinnikt ze. Ik knik alleen maar en ik kijk in haar ogen. Ze zijn grijs met spikkeltjes bruin, de rimpeltjes om haar ogen lijken op duizend opgedroogde beekjes. Oma kucht. 'Zal ik je de vetste roddels en de lauwste praatjes uit dit blad voorlezen?'
Ik werp een blik op het weekblad. 'Begin maar met de lezersbrieven. Dat is altijd lachen!'
Oma Moes maakt haar wijsvinger nat. Ze bladert plechtig tot op bladzijde twaalf. Op haar voorhoofd verschijnen

nog meer rimpels.
'Brieven aan Elise' zegt oma plechtig. Ze knippert met haar ogen. Dan kijkt ze me ernstig aan. 'Ben je klaar voor een halfuurtje wijsheid-uit-een-boekje?'
Ik sluit mijn ogen en zucht. 'Laat maar komen oma, ik ben er helemaal klaar voor.'

'Beste Elise, ik ben een meisje van veertien. Ik denk dat ik verliefd ben op mijn leraar aardrijkskunde. Wanneer hij het over de evenaar heeft, zweet ik. Als hij lesgeeft over aardbevingen, dan trillen mijn neusvleugels. De les over orkanen bezorgt me kippenvel, wat moet ik in hemelsnaam doen?'

Oma lacht en kijkt me aan. 'Dit is toch te gek voor woorden!'
Ik haal mijn schouders op. 'Ik weet het niet. Ik ben geen meisje en ik ben nog lang geen veertien.'
Oma strijkt met haar hand door mijn haar. 'Hum, je haar is bijna droog, maar je bent nog nat achter je oren, makker.'
Ik ga rechtzitten.'Oma, wanneer ben jij verliefd geworden op opa?'
Oma's wenkbrauwen gaan de hoogte in, ze legt het tijdschrift zachtjes op haar schoot. Over haar brillenglazen kijkt ze me aan. 'Bedoel je op welke leeftijd?'
Ik knik. 'Ja, maar ook op welk moment.'
Oma zucht. 'Waar zal ik beginnen? Ik zat in de zesde klas

en we gingen op schoolreis ...' Oma knijpt haar ogen tot spleetjes, dan fluistert ze: 'Johannes, dat was je grootvader, liep de hele ochtend naast me. Eerst had ik niks in de gaten, in die tijd had ik geen interesse in jongens. Ik wilde touwtjespringen, vlechten maken bij mijn vriendinnetjes en liedjes zingen. Je grootvader zag er trouwens, eh, vergeef het me, een beetje gek uit. Zijn haar zat altijd vreselijk in de war, net zoals dat van jou, nu ik erover nadenk. Na de lunch gingen we roeien. Johannes had speciaal hiervoor handschoenen meegebracht. Dat was eigenlijk wel stoer ...'

Oma zwijgt en staart dromerig door het raam naar de tuin.
'Ben je toen verliefd op hem geworden?' vraag ik. Het blijft even stil, dan draait oma zich naar me toe.
'Dat weet ik niet zo precies. In ieder geval leek het of ik hem toen voor het eerst echt zag.' Oma kijkt weer naar buiten. 'Het zou nog zes jaar duren voor ik, eh ...' Oma's wangen blozen een beetje.
'Voor wat, oma?' Ik sta op en ga pal voor haar staan, het lijkt of oma wakker schrikt. Ze staart naar mijn witte handdoek. 'Zou jij je langzamerhand niet eens aankleden, jongen?' Ik schud het hoofd.
'Niks daarvan oma, ik wil weten waarop je zes jaar moest wachten.'
Oma kijkt naar haar pantoffels. 'Ik was pas achttien toen

hij me voor het eerst zoende,' fluistert ze. Haar wijsvinger en duim draaien aan de trouwring aan haar linkerhand.
'En, was het lekker?' vraag ik.
Oma werpt lachend het tijdschrift naar me toe. 'Scheer je weg!'
Ik hol lachend de trap op en boven kleed ik me snel aan. In de onderste lade zoek ik mijn handschoenen, je weet maar nooit.

3. Speculaasijs

Ik stap de ijssalon om de hoek binnen, de belletjes aan de deur rinkelen. Er is niemand in de zaak, fijn zo. Een munt van twee euro brandt in mijn broekzak, ik heb een plan met dit geld! Het duurt een tijdje voor ik iets hoor. Waar blijft ze nou? Vanuit de keuken komen voetstappen mijn kant uit. Ik ga op de punten van mijn tenen staan, dan gluur ik snel over de hoge toonbank. Ze is het! Ik houd mijn adem in. Langzaam loopt ze de zaak verder in, haar kapsel danst zachtjes op en neer. Als in een vertraagde film komt ze dichterbij, ze herkent me en ze glimlacht. Ik kijk snel naar de kaart met ijsjes.

'Hallo,' zegt ze lief. 'Hoe gaat het met je?' Ik doe of ik haar niet meteen hoor. Ik gluur even naar het gouden plaatje op haar shirt, ze heet Anke. Wat een mooie naam, denk ik bij mezelf!

Dan kijk ik in haar ogen. 'Huh, het gaat goed, dank je, Anke.' Ik slik en kijk terug naar de kaart. Mijn vingers spelen met het geld in mijn broekzak. Ik denk dat Anke van ijssalon Lekkerbek zestien jaar oud is. Of misschien is ze al twintig, ik weet het niet precies.

'Waarmee kan ik je helpen?' vraagt ze. Ik krab eens in mijn haar en adem diep in, dan kijk ik zo ernstig mogelijk. Ernstig kijken maakt indruk op meisjes. 'Wat vind jij lekker, Anke?' De verkoopster kijkt verbaasd. Dan lacht ze.

IJSSALON

‘Ik ben dol op speculaasijs!’ Ik knik.
‘Zo,’ zeg ik koeltjes, ‘hoeveel kost één bol roomijs?’
Anke tikt met haar vinger tegen een bordje op de toonbank. ‘Dat weet je toch? Eén euro per bol!’
Ik blijf knikken. ‘Oké, ik wil één bolletje speculaasijs voor mij en ik geef …’

Op dat moment rinkelt de deurbel. Twee oude dametjes stappen binnen.
‘Daar heb je Casper!’ krast een van hen. Ik krimp een beetje in elkaar en bijt op mijn onderlip. Het is de oma van Milano. Milano zat bij mij in de klas, maar hij is een tijdje geleden verhuisd naar een andere stad. Ze komt naar me toe en knijpt me in mijn wang.
‘Dag, flinke jongen! Kom je een ijsje halen voor je mama?’
Ik zak bijna door de grond van schaamte. Ik glimlach flauwtjes. Anke begeleidt de dames naar een plekje in de salon en ze hangt hun jassen weg. Even later staat ze weer voor mijn neus.
‘Zo, zeg het nog eens, Casper!’
Stuurs wijs ik naar het bakje met speculaasijs. ‘Twee bollen speculaasijs asjeblieft,’ zeg ik snel.
‘Twee bollen speculaas,’ glimlacht Anke. Vliegensvlug mikt ze twee bollen op een hoorntje. Mijn mooie plan is om zeep, zal ik haar ooit op een bol ijs kunnen trakteren?
Ik kijk giftig naar de twee oudjes. ‘Twee euro,’ zegt Anke.
Ik ruil het muntstuk voor het ijsje.

‘Dag Casper, en tot de volgende keer!’
Ik steek mijn hand op en de verkoopster knipoogt naar me. Ik knipoog maar terug en trek de deur van de zaak snel achter me dicht. De belletjes rinkelen overdreven luid.
Als ik de etalage voorbijloop, kijk ik naar binnen. Anke staat bij de dametjes. Dankzij hen weet Anke nu ook mijn naam, dat is een goede zaak. Wacht maar, overmorgen kom ik terug en dan probeer ik haar opnieuw te trakteren. En speculaasijs? Dat vind ik maar niks, eens kijken of de hond van de buurman het lust.

4. Rambo

Het hondje van buurman Erik springt tegen me op. Ik zak door m'n knieën. Rambo likt eerst aan mijn neus. Dat kriebelt! Dan pas likt hij aan het ijsje. Zijn kleine witte staartje schudt als een gek heen en weer.
'Dit is ijs van Anke,' fluister ik in de hondenoortjes. 'Anke is lief, bijna net zo lief als jij!'
Buurman Erik komt een kijkje nemen. 'Zo Casper, kom je dat beest verwennen?'
Ik glimlach en knik. 'Wat een knappe hond is het toch, en wat heeft-ie lieve bruine oogjes!'
Buurman draait zich om en wandelt weer naar binnen. 'Als jij het zegt,' mompelt hij. Rambo schrokt de laatste restjes van het hoorntje naar binnen.
'Dat was lekker hè,' lach ik. Mijn handen woelen door zijn vacht. Rambo gaat op zijn rug liggen. Zijn pootjes trappelen in de lucht.
'Zo, mag ik je buik strelen?' Vanaf een afstand houdt buurman een oogje in het zeil, ik mag best met zijn hond spelen. Maar helemaal gerust is hij er niet op. Ik neem een tennisbal en gooi hem weg, Rambo gaat er als een speer vandoor. Even later staat hij weer hijgend bij me met een bal vol kwijl. Ik gooi nog eens en nog eens. Dan roept buurman Erik zijn hond naar binnen.
'Het wordt een beetje frisjes,' zegt hij. Dat zegt hij altijd wanneer ik een poosje met zijn hond speel. Ik streel het

beestje nog eens.
'Tot gauw,' fluister ik. Dan wandel ik door de tuin naar het hek. Ik zie hoe buurman Erik zijn Rambo knuffelt. Die twee zijn beste maatjes, en buurman wil dat vast zo houden.

Ik zie ook dat mama thuis is, ze zwaait. Ik zwaai terug en loop haar tegemoet.
'Woef woef!' roep ik haar van ver toe, ik laat mijn tong uit mijn mond hangen. Dan geef ik mama een likje.
'Malle jongen,' lacht ze. 'Je speelt te veel met die hond van de buren, je krijgt beestenmanieren.'
Ik bijt zachtjes in haar bovenarm. 'Grrrrrrr, buurman Erik vindt dat ook, denk ik.' Ik laat mama los en doe een stap achteruit.
'Hoezo?' vraagt ze. Ik haal mijn schouders op.
'Hij laat me nooit langer dan vijf minuten met Rambo spelen.' Mama knikt en ze stapt naar binnen.
'Hij houdt zielsveel van dat beest,' zegt ze, 'en verder heeft hij niemand. Hij is vast bang om zijn hond te verliezen.'

Ik kijk uit het raam van mijn kamer. Buurman Erik zit op zijn terras. Hij rookt een pijp. Rambo zit bij hem op schoot.
Buurman Erik lijkt wel getrouwd met die hond, ik vraag me af of dat mag van de politie. Het moet wel kunnen, vind ik, maar hoe zegt een hond 'ja' op het stadhuis? En

koop je dan samen puppies of kindjes? Allebei lijkt me nog het beste, zo kunnen ze lekker samen spelen. Als ik later met een hond trouw, zal het een wit beestje zijn en ik zal niet jaloers worden op buurjongens. Ik vraag me af of buurman Erik ooit verliefd is geweest op een vrouw. Eigenlijk kennen we hem niet zo goed. Ik zal eens een praatje met hem maken, in plaats van met zijn hond. En volgende keer krijgt Rambo niks. Speculaasijs lijkt me verder wel geschikt hondenvoer voor op een hondentrouwfeest. En 'Anke' is vast de mooiste meisjesnaam ter wereld.

5. Zoenen X 1000

Mama en papa zoenen, dat doen ze wel vaker. Ik zak onderuit op de bank en ik doe of ik in mijn strip lees. Mama giechelt, papa gromt als een beer. Het lijkt wel of ze zijn vergeten dat ik hier zit! Oma heeft niks in de gaten, die doet haar middagdutje. Papa kijkt diep in mama's ogen, dan zegt hij iets in haar oor. Mama lacht opnieuw, maar nu luider. Zal ik mijn keel eens schrapen?
'Hum hum!' Ze kijken allebei mijn kant op. Dan duwt mama papa zachtjes weg. Papa blaast eerst en dan steekt hij zijn tong uit naar mij.
'Ik ga het gras maaien,' zegt hij.

'Hoeveel keer hebben jullie elkaar al gezoend vandaag?'
Mama kijkt me verbaasd aan. 'Geen idee! Dat tel ik niet, Casper.'
Ik trek mijn wenkbrauwen op en leg mijn strip aan de kant.
'Tellen!' zeg ik tegen mama. Ze glimlacht en begint op haar vingers te tellen. Ze kijkt naar het plafond en af en toe lacht ze eventjes. Dan knikt ze. 'Vandaag hebben we elkaar al negentien keer gezoend!'
Ik kijk haar ongelovig aan. 'En het is nog maar tien uur 's ochtends, jullie zijn verslaafd!' Mama lacht luid. Ik loop naar haar toe. Mijn hersenen rekenen razendsnel. 'Tegen de avond hebben jullie elkaar honderdzestig keer gezoend!'

Mama gaat op een krukje in de keuken zitten.
'Kom eens hier, Casper.' Ze hijst me op haar schoot. Dan duwt ze haar neus in mijn hals, dat kriebelt. Dan geeft ze me zachtjes een zoen op mijn wang.
'Zo, wat vind je van deze zoen?' Ik haal mijn schouders op.
'Papa krijgt er honderdnegenenvijftig.' Mama streelt door mijn haar.
Ze drukt haar neus tegen de mijne.
'Eén lieve zoen is vaak veel beter dan duizend andere.'
Ik houd mijn hoofd schuin. 'Jij hebt makkelijk praten, ik heb in heel mijn leven nog geen duizend zoenen gekregen.'
Mama schudt haar hoofd. 'Dat denk je maar. Zal ik je eens wat vertellen? Toen jij een baby was, zoende ik je van 's ochtends vroeg tot 's avonds laat. Je papa werd jaloers ...'
Ik kijk ongelovig naar buiten waar papa net de grasmaaier aanzet.
'Vroeg hij toen ook om je zoenen te tellen?'
Mama lacht luid, ik voel haar buik schokken. 'Nee, Casper!' Ik kan al wel raden wat ze hem vertelde. Iets over één lieve zoen en duizend andere.

Het is me wat met dat gezoen, soms kleven mama en papa echt aan elkaar. Net goudvissen! Proeft het elke keer anders? Papa drinkt veel koffie, bah! En wat als mama verkouden is, yuk! En dan de geur van speeksel, íék.

Ik weet één ding: wie mij ooit wil zoenen, moet eerst zijn tanden poetsen. En goed spoelen graag! De kusser zal het bovendien met één lieve zoen moeten doen, ik word een zuinige zoener.

6. Lies

Er wordt aangebeld, ik spring weg bij de computer. Oma en papa hebben geen schijn van kans. Oma kijkt me hoofdschuddend na. 'Voorzichtig, Casper!' piept ze. Ik ben altijd het eerst bij de voordeur, zelfs op kousenvoeten. Waarom ik me zo haast? Omdat die bezoeker voor mij komt, dat denk ik toch altijd. Tijdens de sprint door de gang kijk ik altijd naar de deur, het matte glas verraadt wie er staat. Ik zie een oranje jas en met een krachtige zwaai trek ik de deur open.
Ik stop met ademen. Ik knipper met mijn ogen. Ik wil iets zeggen, mijn hand opsteken, lachen. Maar uit mijn keel komt geen geluid. Mijn armen lijken bevroren, mijn wangen worden rood.
'Hoi Casper,' lacht Lies.
Voor mijn neus staat het liefste meisje van de klas. Ze is bovendien ook heel mooi, even mooi als haar tweelingzus Jos. En ze is slim en grappig en ...
'Mag ik binnenkomen?' vraagt ze voorzichtig.
Ik knipper nog eens met mijn ogen. 'Uh ...'stamel ik.
'Ik heb iets voor je meegebracht,' glimlacht Lies.
'Kom binnen,' zeg ik snel.

Daar staan we dan, in de hal. Ik kijk wat naar de grond en Lies kijkt naar mij, ik voel het gewoon. Het wordt heel warm in mijn hals.

Papa kijkt de gang in. 'O, ben jij het, Lies, alles goed?'
Lies knikt. 'Je krijgt de groetjes van papa. Hij vraagt wanneer je nog eens mee gaat tennissen.'
Papa lacht. 'Zeg maar tegen je vader dat hij me opbelt en vertel hem om te oefenen. Vorige keer heb ik hem grandioos verslagen.' En weg is papa.
Ik haal mijn schouders op. 'Tssss, vaders hè.'
Lies grinnikt. 'Het is me wat met hun sport.' Ze draait wat heen en weer met haar lichaam, haar voeten blijven op één plek staan.
'Ben je nieuwsgierig?' vraagt ze me.
'Hoe bedoel je?' stamel ik.
'Naar wat ik voor je meegebracht heb, suffie!'
Ik glimlach. 'Tuurlijk, wat stom van me.' Ik slik even en kijk haar aan, ze heeft blauwe ogen, sproetjes en goudbruin haar.
'Even opnieuw,' lach ik. 'Hé Lies, wat heb je voor me meegebracht, ik ben nieuwsgierig!' Lies lacht haar witte tanden bloot, ze laat me haar tas zien. Ze zet een stapje naar me toe, ze ruikt lekker! Dan zet ze haar hand bij mijn oor en fluistert. 'Ik laat het je zien op een plek waar niemand ons ziet.' Ze maakt haar ogen groter. 'En waar niemand ons stoort.' Ze legt haar wijsvinger op mijn mond. Lies' wenkbrauwen wippen tweemaal op en neer.
Ik knik zachtjes. 'Kom mee,' fluister ik.

7. Bakken

'Vier eieren, 250 gram zelfrijzend bakmeel, 250 gram suiker en ...?' Oma kijkt me vragend aan.
'250 gram boter natuurlijk,' zucht ik. Cake bakken met oma is leuk, we doen het dan ook elke zaterdagochtend. El-ke za-ter-dag, ik kan intussen cake bakken met mijn ogen dicht en met twee vingers in mijn neus. Oma zelf doet niet veel, eigenlijk doet oma niks. Of toch: ze stroopt mijn mouwen op. Ze knikt goedkeurend wanneer ik bakmeel, suiker, boter en eieren meng. En ze proeft. Ik kijk haar streng aan. 'Ik maak alleen de rand van de kom schoon,' zegt ze snel. Het deeg glimt, ik lik mijn vingers af. Oma draait de kraan open.
'Kom,' knipoogt ze. Ik steek mijn handen onder de warme straal en dan droogt oma mijn handen af.
'De vorm!' zegt ze, ik zak door mijn knieën en doe de kast open. Oma zet de oven aan en ik tuur in de kast. Achteraan ligt een bakvorm die ik nooit eerder heb gezien. Ik strek mijn arm, pak het ding en houd het met twee handen vast. Dan ga ik staan en loop met de vorm achter mijn rug naar oma. Ik tik op haar schouder. Ze draait zich om.
'Maar jongen toch,' lacht oma, 'het is jaren geleden dat ik die bakvorm heb gezien!' Ze neemt de bakvorm uit mijn handen. 'Een goede keuze!' lacht ze. Oma spoelt de vorm om en droogt hem af. Ik sta klaar met de kom deeg en

een spatel.
'Vul mijn hart maar, Casper ...' Het deeg glijdt moeiteloos in het hartvormige bakblik. Oma knipoogt. 'En voor wie gaan we deze cake maken?' Ik haal mijn schouders op en kijk de tuin in. Dat is wel een goede vraag. Geef je een hartencake aan iedereen die je graag ziet? Dat wordt drie dagen lang cake bakken, vrees ik.

'Wat dacht je ervan om de cake te versieren?' vraagt oma. Ik knik. 'Met een kleurtje! Rood moet hij zijn, niet?' Oma glimlacht en neemt een kommetje. Ze wijst naar de kast. 'Neem de poedersuiker, Casper!' Even later is het glazuur klaar.
'Moet er ook een naam op de cake?' vraagt oma. Ze kijkt me nieuwsgierig aan. Ik haal mijn schouders op. 'Ik weet niet aan wie ik de cake wil geven,' zeg ik zacht.
Oma likt haar vingers af. 'Dan houden we hem toch gewoon voor onszelf?' Ik kijk oma ernstig aan en haal diep adem.
'Deze cake is voor jou, de volgende is voor mama, de derde voor papa, de vierde voor ...' Oma lacht luid, ze pakt haar kopje koffie.
'Malle jongen,' grinnikt ze. Dan loopt ze de keuken uit en gaat op het terras zitten. Haar buik schudt nog na van het lachen. Ik vind het niet grappig. Hartencake geef je niet zomaar weg.

8. Meester Johan

Rekenles. 'Rekenpest, rotles, rekengruwel in de rekengrot,' mompel ik. 'Met rotcijfers, horrornummers ...' Ik zet mijn verstand af. Of ik denk aan iets anders, iets leukers dan dit. Ik graaf in mijn hoofd en denk aan Lies. Ik kijk om me heen, ze zit een eind verderop, bij het raam. De meester zit vooraan. Op een blaadje voor me schrijf ik in sierlijke letters *Lies.* Ik versier het blaadje met vijftien rode hartjes. Dan kijk ik weer naar Lies en denk aan gisteren, toen ze op mijn kamer was! Ze keek met grote ogen rond. Ik stond rechtop en wees naar foto's aan de muur. Ze lachte en ik wist niet wat ik moest doen.
Ze ging op mijn bed zitten, haar benen wiebelden.
Ze zette haar armen achter zich en leunde een beetje achterover. Ze zweeg plotseling en keek me met spleetoogjes aan. Uit haar tas haalde ze een kaft. Dat was de verrassing! Ze tikte met haar rechterhand naast zich op mijn bed. Ik ging naast haar zitten en slikte. Ze opende de kaft en ik zag een boek.
'Het is een tekst,' zei ze zacht. 'Een tekst voor een toneelstuk. Dat gaan we spelen voor Unicef. Je weet wel, voor *Actie Prik* die op school loopt!'
Lies speelt wel vaker toneel. Haar tweelingzus Jos soms ook. En toen keek ze me ernstig aan. Ze vertelde me dat ze nog een acteur zochten. En dat ze aan mij dacht.
Ik vroeg haar om welke rol het ging.

'Romeo' zei ze.
Ik haalde mijn schouders op, ik ken geen Romeo.
'Klinkt Italiaans,' zei ik.
Lies knikte. 'Dat is het ook,' zei ze. Ik voelde me slimmer dan ooit en ik nam de tekst aan. Ik zei Lies dat ik de tekst eerst wilde lezen, ik zou nog laten weten of ik meedeed.
Toen stond Lies op.
'Oké, zei ze, en 'dag dan maar, Casper!'
Voor ik het wist, was ze het huis uit.
Ik stond achter de voordeur en ik haalde diep adem. Lies vroeg me om samen met haar toneel te spelen. Waarom ik, waarom nu? Zou ze me leuk vinden? Dat kon bijna niet anders!
Deze morgen zwaaide ze naar me en toen ik terugzwaaide knipoogde ze. Pffffffffff! Ik w ...
Pats! De hand van de meester ploft neer voor mijn neus.
'Casper Nova,' zegt hij dreigend, 'waar ben jij mee bezig?'
Mijn oren worden rood, mijn wangen ook, ik schuifel met mijn achterwerk heen en weer.
'Uh, niks, meester Johan,' stamel ik. Intussen kijkt heel de klas naar me, ook Lies.
'Wat is dit hier?' vraagt de meester. Vliegensvlug grist hij het blaadje met de vijftien hartjes weg.
'Niet doen!' gil ik nog, maar de meester stapt langzaam naar voren. Hij zwaait met het blaadje.
'Dat is geheim!' sputter ik zacht. Dan draait de meester zich naar me toe. Hij heeft het briefje achter zijn rug en

kijkt me lachend aan.
'Dit is inderdaad niet je rekenschrift, Casper.'
Mijn hoofd tolt en ik grijp het met beide handen vast.
'Mag ik het alstublieft meteen terug?' smeek ik.
'Voorlezen, voorlezen, voorlezen!' roept Ruud.
Ik kijk hem giftig aan, de meester grinnikt.
'Ik leg het briefje hier vooraan, Casper. Je mag het straks na de les komen halen.'
Dankbaar kijk ik naar de meester. Hij stapt op me af en geeft hij me een schouderklop.
'En nu verder rekenen!'
Ik haal diep adem. Lies draait zich naar me om, ze glimlacht. Ik kijk terug naar mijn blad, de rotcijfers en horrornummers staan er nog steeds.

9. Knuffelen

Mama komt thuis van haar werk.
'Dag Casper!' roept ze vanuit de hal. 'Ik ben thuis!' Ik wacht tot ze binnenkomt, dan steek ik mijn arm op vanachter mijn stripboek en ik zwaai. Ik hoor haar voetstappen, ze komen mijn kant op. Ze tikt tegen het stripboek en ploft naast me op de bank. Ze duwt haar koude neus tegen mijn wang.
'Zoen?' vraagt ze. Ik geef haar een minikusje.
'Poeh,' zucht ze, 'ben je niet blij me te zien?' Ik sluit langzaam mijn stripboek en kijk haar ernstig aan. 'Natuurlijk wel,' zeg ik. Voor mama iets kan doen, kruip ik bij haar op schoot.
'Wat krijgen we nou?' lacht ze luid. Ik grinnik en sla mijn armen om haar nek, ik zie lachrimpeltjes om haar ogen.
'Dat is heel lang geleden, Casper!'
Ik knik en zeg 'Mmmmmmmmm' in haar nek. Mama wiegt me zachtjes heen en weer.
'Kan dit wel, voor een stoere kerel als jij?' vraagt ze.
Ik ga rechtop zitten. 'Moet ik eraf?'
Mama glimlacht en trekt me weer naar zich toe.
'Gekkerd,' zegt ze. Ze raakt mijn wang met haar wimpers, heel snel knippert ze ermee op en neer. 'Vlinderkusjes voor jou,' zegt ze zacht. 'Vertel eens hoe je dag op school was!' Ik zwijg. Zal ik haar vertellen over wat er gebeurde tijdens de rekenles? Dan moet ik haar ook iets vertellen

over Lies. En over het toneelstuk. Ik besluit om niks te zeggen, ik moet het toneelstuk eerst nog lezen. En ik heb geen zin om over Lies te vertellen, want voor je het weet gaan je ouders je plagen.
'Goed, hoor mam, niks speciaals.'
Mama haalt haar schouders op.
'Klinkt saai!' zegt ze. Ik duw mijn neus in haar hals.
'Is het ook,' mompel ik. Mama kijkt me verbaasd aan.
'En ik dacht dat je juf zo'n schat was?'

Ik ga naar boven, naar mijn kamer en ga achter mijn bureau zitten. Ik denk terug aan wat er vandaag op school gebeurd is. Het avontuur met het hartenbriefje ging nog verder. De meester riep me tijdens het speelkwartier bij zich.
Hij glimlachte toen hij mijn briefje gaf. Dat vind ik niet fijn! Binnenkort is het ouderavond. Hopelijk vertelt hij niks tegen mijn ouders.
Mama was lief vandaag. Ik kroop bij haar op schoot. Ik vraag me af of alle moeders zo lekker ruiken.
Misschien ruikt elke mama anders. Ik heb de mijne het liefst als ze naar friet ruikt. Of naar dat flesje parfum in de badkamer. Ik weet niet of frietgeur en parfum samengaan. Ik weet alleen dat ik mama zelfs in het donker kan vinden, ik lijk Rambo wel!
Zou je kunnen ruiken aan iemand of die jou graag ziet? Ik denk van wel. En kun je houden van iemand die stinkt? Ik

denk van niet. Mijn neus vertelt wel veel over mijn hart vandaag. En ook over mijn maag. Ik denk dat het eten klaar is. Ik sta op en loop de trap af. Oma kookt vandaag, ik ruik groentetaart met spekblokjes.

Ik loop de eetkamer binnen. Papa zit al aan tafel.
'Hé, Casper,' zegt hij. Ik geef hem een zoen. Papa ruikt weer helemaal naar papa. Ik ga naast hem zitten en wrijf in mijn handen.
'Hoe was jouw dag, pap?' Papa glimlacht.
'Zalig,' zegt hij, 'deze morgen ben ik naar een zeepfabriek geweest. Ik heb allemaal kleine zeepjes meegebracht, een doos vol in allerlei geuren en kleuren.'
Mama glimlacht. 'Klinkt goed, heb je die zomaar gekregen?'
Papa knikt. 'Ik heb de baas verteld dat ik tien heel vuile kinderen heb.' Oma komt de eetkamer binnen. Ze draagt de groentetaart en kijkt trots over haar brilletje.
'Taart à la oma Moes,' zegt ze plechtig. Papa likt zijn lippen af en ik grijp naar mijn bestek.
'Je bent de beste oma ter wereld!' zeg ik.
Oma kucht.
'Bof jij even. Zorg maar dat je je bord leegeet.'

10. Lies wil het weten

Het is druk in de boekhandel.
'En?' zegt iemand zachtjes in mijn rechteroor. Ik schrik en draai me om. Lies kijkt me lachend aan.
'En?' vraagt ze nog een keer.
'Ik kan niet kiezen welke strip ik wil kopen,' antwoord ik.
Lies geeft me een por.
'Je weet best wat ik bedoel!' sist ze.
Ik sla een hand voor mijn mond. 'Het toneelstuk!'
Lies knikt. 'En, doe je mee of niet?'
Ik kijk Lies aan, mijn wangen worden rood.
'Ja, ik wil wel,' zeg ik zacht.
Lies vliegt me om de hals, ze knijpt me fijn. Ik weet niet wat ik moet doen.
'Wat leuk!' joelt ze.
Ik slik en doe een stapje achteruit.
'Maar wacht even,' zucht ik. 'Ik heb de tekst nog niet gelezen en ik weet niet welke rol ik speel.'
Lies haalt haar schouders op. 'Lees de tekst maar snel, Casper, en maak je geen zorgen om je rol!' Lies glimlacht.
'Hoezo?' vraag ik. Lies draait zich om, ze wandelt weg en ze zwaait met haar hand. Net voor ze de winkel uit loopt, draait ze zich om.
'Je hebt de hoofdrol, suffie!'
Ik leg de strips terug in het rek. Ik wil nog vragen welke rol zij speelt, maar Lies is al verdwenen. Misschien moet

ik maar eens naar huis om de tekst te lezen.

Op mijn kamer pak ik de klassenfoto. Ik kijk naar Lies en naar haar tweelingzus Jos. Ik sta tussen hen in. Ik glimlach. Lies is een lief meisje, vindt ze mij ook lief? Ik denk van wel, want waarom vraagt ze me anders voor die rol? Maar wanneer beginnen de repetities en wanneer treden we op? En waar ligt die tekst van dat toneelstuk nu weer? Ik kijk naar mezelf in de spiegel.
'Casper, wat weet jij eigenlijk wel?'

11. De tekst

Ik spring op en neer op mijn bed.
'Ik word gek!' roep ik luid. Dit kan niet waar zijn, denk ik. Dit is te mooi om waar te zijn, dit is te erg voor woorden! Dit is super en verschrikkelijk. Maar het is ook erg en zalig. Het is een ramp, maar wat voel ik me gelukkig. Ik heb zojuist de tekst van het stuk gelezen. Het is een liefdesverhaal! Het is het verhaal van Romeo en Julia en ik speel Romeo. Drie keer raden wie Julia speelt. Het is Lies! Ik laat me op bed vallen en staar naar het plafond, mijn mondhoeken krullen naar boven.

Ik veer op en ga aan mijn bureau zitten. Ik reken snel uit wat dit allemaal betekent. Ik moet haar drie keer zoenen, drie keer per voorstelling. We treden negen keer op! Dat betekent dat ik Lies zevenentwintig keer kan zoenen! Ik bal mijn vuist.
'Fantastisch!' zeg ik. En dan tel ik de repetities er nog niet eens bij! Het is vast niet meteen de eerste keer goed, we moeten veel oefenen. Misschien kussen we tien keer per repetitie en er zijn vijftien repetities. Dan moeten we honderdvijftig keer oefenen! Ze kan maar beter haar tanden poetsen.

Ik krab in mijn haar. Moet ik spelen dat ik Lies kus of moet ik Lies écht kussen? Ik zou het wel willen, want ik

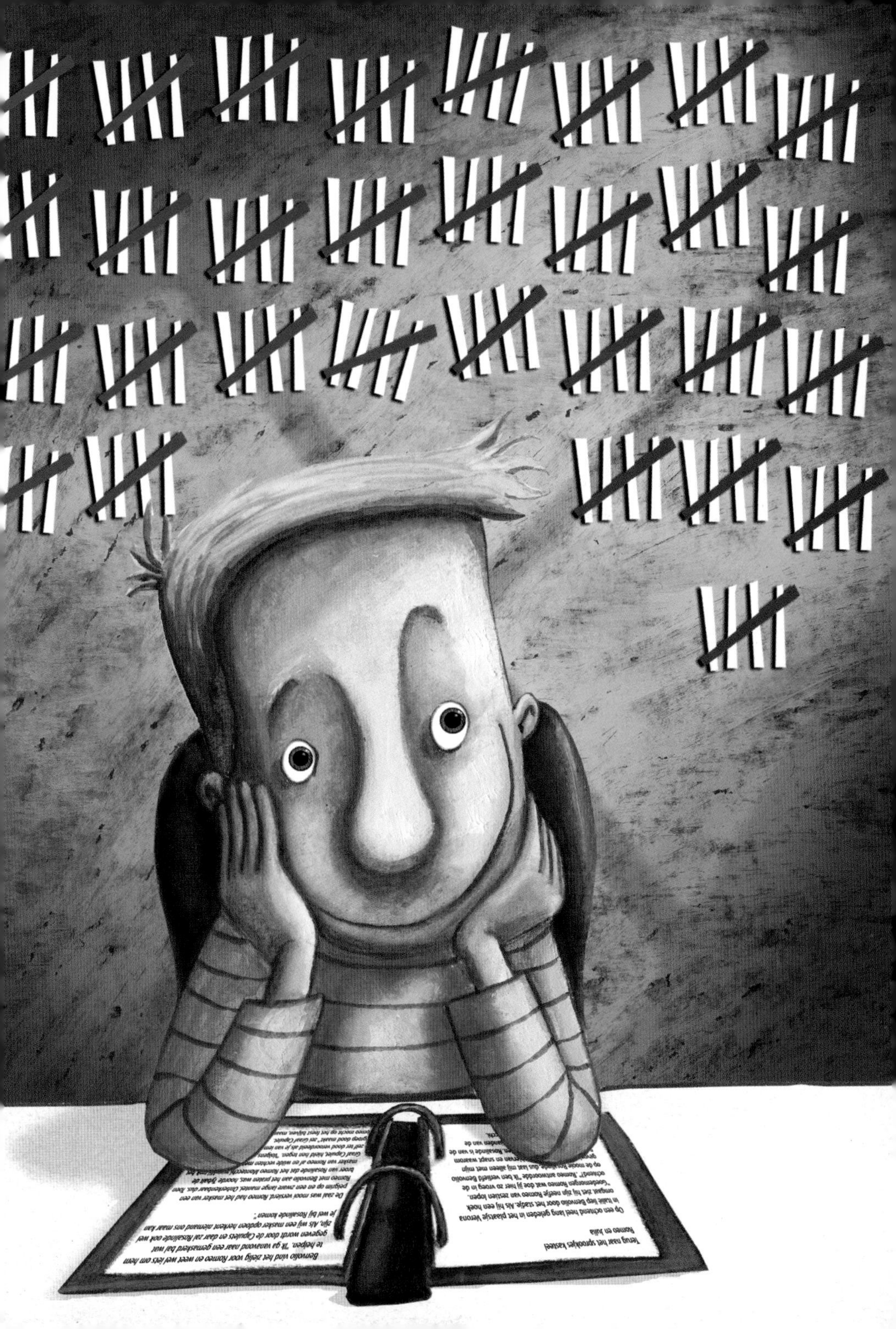
Terug naar het sprookjes kasteel
Romeo en Julia

denk dat ik een beetje verliefd ben op Lies.
Maar ik ben niet zeker, bestaat er misschien een test? Ik haal mijn schouders op, misschien is zoenen een test.

Ik word gek ... Wat een geluk!

12. Luchtkussen

Ik sta voor de spiegel, mijn haar is nog nat. Er bengelt een druppel water aan het puntje van mijn neus. Rond mijn middel heb ik een grote witte badhanddoek geknoopt. De badkamerdeur is op slot. Niemand kan me storen.
Ik kijk in de spiegel en lach niet. Wat nu volgt, is ook niet grappig. Wat zo dadelijk zal gebeuren is een ernstige zaak. Ik adem diep in en sluit mijn ogen. Ik weet niet of dit de goede manier is, maar het is het proberen waard. Ik adem nogmaals in en blaas langzaam uit. Ik kijk mezelf diep in de ogen en knipoog. Dan tuit ik mijn lippen. Ik blijf kijken, want zo zal Lies me zien wanneer ik haar zoen, dat is een vreemd gezicht! Hoe dichter ik bij de spiegel kom, hoe gekker. Ik heb veel rimpels in mijn lippen als ik zoen. Ik lik met mijn tong over mijn lippen, dat is beter!
Kan ik mijn ogen niet beter dichtdoen als ik zoen? Ik probeer het, maar dan weet ik niet hoe het eruitziet. Ik maak spleetoogjes en door mijn wimpers kijk ik naar mezelf.
In films zeggen ze ook vaak 'Mmmm' wanneer ze zoenen. 'Mmmmmmm' doe ik, dan zet ik een stap achteruit. Ik bekijk mezelf van opzij en ik buig weer een beetje voorover. Ik zet mijn handen op de ingebeelde Lies. Ik kijk opzij, dat ziet er niet slecht uit! Dan wordt het tijd om het kussen zelf te trainen. Ik doe mijn ogen dicht en ik kus snel tot tien in de lucht. Dat gaat gemakkelijk, dus ik kus nog tien keer. En nog eens! Het voelt een beetje pijnlijk in

mijn wangen. Morgen oefen ik opnieuw, dan luchtkus ik vijftig keer.
Ik wijs naar mijn spiegelbeeld.
'Tegen het eind van de week luchtkus ik je honderd keer per minuut!'

13. Het eerste liefje van papa

Papa is in de keuken, hij schilt de aardappelen. Dat doet hij wel vaker.
'Wat eten we straks?' vraag ik hem. Hij kijkt niet op.
'Aardappelschotel met tomaatjes en kaassaus,' zegt hij snel, dan smakt hij even. Hij weet dat ik dit lekker vind.
Papa kookt wel vaker, hij doet dit liever dan het gras maaien of de auto wassen. Of de vuilniszakken buiten zetten. Ik kijk naar zijn schort. 'Kookgek' staat erop.
Ik ga op een hoge stoel zitten, vlak bij papa. Ik zie hoe hij de aardappelen afspoelt, dan snijdt hij ze in dunne schijfjes. Hij schikt een schijfje tomaat naast een schijfje aardappel. Dan zet hij er een schijfje ui naast en dan weer tomaat.
'Koken is helemaal niet zo moeilijk,' zeg ik.
Papa kijkt op.
'Inderdaad,' zegt hij. 'Je moet het alleen durven.'
Ik kijk hem vragend aan. 'Hoezo, is het dan gevaarlijk?'
Papa schudt het hoofd. 'Veel mensen zijn bang dat het eten zal mislukken, begrijp je? Je moet het ooit voor het eerst proberen. De tweede keer gaat het al wat beter en de derde keer wordt het echt leuk. De vierde keer lijkt het of je nooit wat anders deed, snap je dat?' Ik knik.
'Is dat met alles zo?' vraag ik.
Papa stopt met schikken.
Hij spoelt zijn handen af.

'Dat is bijna altijd zo.' zegt hij. Papa komt naast me zitten op de andere hoge kruk. Zo zitten we samen naast elkaar. We kijken naar de tuin. We zeggen niks. Ik zie papa weerspiegeld in de ruit.
Dan draai ik me naar hem toe. 'Papa, wanneer heb jij voor het eerst een meisje gezoend?'
Papa slaat met zijn hand op tafel. 'Ik wist dat je me een moeilijke vraag ging stellen!'
Ik glimlach en stel mijn vraag opnieuw. 'Wanneer, pap, en met wie?'
Hij legt zijn handen op zijn gezicht en wrijft.
'Mmmmmm ... dat is eigenlijk een geheim. Waarom wil je het weten?'
Ik sla mijn armen over elkaar. 'Jij moet eerst antwoorden! Daarna vertel ik je waarom. Misschien.'
Papa zucht, hij krabt eens in zijn haar.
'Oké, zegt hij dan. 'Buiten je mama weet niemand dit. Dus mondje dicht, hè!' Hij buigt zich naar me toe. Ik leg mijn hand op zijn mond.
'Dat kan niet,' fluister ik. 'Wat dacht je van het meisje dat je zoende dan? Jij, dat meisje en mama. Dat zijn er samen toch drie. Als ik het zo dadelijk weet, zijn we met z'n vieren. Vier mensen ter wereld die weten wanneer Otto Nova voor het eerst zoende!'
Papa schudt zachtjes zijn hoofd. 'Toch niet,' zegt hij. 'Het eerste meisje dat ik ooit zoende, was ...' Dan kijkt papa of hij diep moet nadenken.

Ik trek aan zijn arm. 'Kom op! Vertel het me!' sis ik. Papa gaat wat rechter zitten, dan graait hij in zijn broekzak.
'Ik heb een foto van haar,' fluistert hij geheimzinnig.
Ik zet grote ogen op. 'Wat zeg je? Maar dat is ongelooflijk! Laat zien pap!' Tergend langzaam haalt papa zijn portefeuille uit zijn zak. Dan haalt hij er een fotootje uit. Hij legt het op de tafel, onder zijn hand. Ik trek aan zijn vingers.
'Niet beginnen te gillen, Casper,' lacht hij. 'Beloofd?' Ik knik driftig. Dan haalt hij zijn hand weg, verbaasd kijk ik naar de foto. Ik kijk in de lachende ogen van mama.
'Het eerste meisje dat je ooit zoende was mama!' roep ik. 'Wat gek!'
Papa glimlacht. 'Daarna heb ik nog wel veel andere meisjes gekust, hoor, meer dan dertien!' Ik kijk hem ongelovig aan.
'Niet allemaal op dezelfde dag, hoor, met sommige meisjes heb ik bijna een jaar gezoend. Niet elke dag natuurlijk, maar wel veel.'
Ik kijk papa vol bewondering aan. 'Maar je bent getrouwd met het meisje dat je jaren daarvoor het eerst zoende.'
Papa knikt.

Op mijn kamer wil ik een strip lezen, maar het lukt niet. Mijn gedachten zweven naar zoenen en trouwen. Moet je trouwen met het meisje dat je het eerst zoent? Dat ben ik papa vergeten te vragen. Stel je voor, dan trouw ik later

met Lies. Dat is niet erg, denk ik ...
Ik ga net als papa nog eerst veel andere meisjes zoenen. Maar wat als ik een van hen leuker vind? Daar komen dan problemen van, er zit dus niks anders op ... Ik zal nooit een ander meisje dan Lies zoenen, want andere meisjes zoenen is veel te gevaarlijk. Na het toneelstuk gaan Lies en ik er gewoon mee door, als ze dat wil tenminste. Ik vind het alvast een goed plan. Stel je voor, ik ga later trouwen met Lies.

Ik ben ook vergeten te vragen wáár papa voor het eerst zoende. Op school of in de tuin? En ik wil nog meer weten, hoe je elkaar voor het eerst zoent, bijvoorbeeld. Op de wang, of op de neus, of meteen, BOEM, op de mond? Laat ik dat maar eens aan mama vragen.

14. Poster

Oma vindt de poster mooi. Ze glimlacht en knikt.
'Dit is een mooi affiche!' zegt ze. Ik kijk trots om me heen, mama en papa komen ook een kijkje nemen.
'Ben jij dat, Casper?' vraagt papa. Mama slaat een hand voor haar mond.
'Mooi!' mompelt ze.
Oma geeft me een klapzoen. 'Je wordt nog beroemd,' giechelt ze. Ik rol de poster weer op.
'Ik heb nog dertig andere,' zeg ik, 'en ik ga ze overal ophangen.' Papa wijst naar het raam aan de straatkant.
'Hang er daar maar eerst een,' zegt hij.
Mama schuift de gordijnen aan de kant.
'Hier?' vraagt ze. Ik knik en houd de poster tegen het raam.
Oma komt aangetrippeld met plakband.
'Caspertje, de beroemde acteur!' giechelt ze. Vijf minuten later staan we op de stoep, we kijken naar ons huis. Ik word er een beetje verlegen van.
Papa geeft me een schouderklopje. 'Ga nu maar snel posters ophangen in het dorp.'

Ik loop de ijssalon om de hoek binnen. De belletjes aan de deur rinkelen. Er is niemand in de zaak, fijn zo. Ik heb een poster in mijn hand en het duurt een tijdje voor ik iets hoor. Waar blijft ze nou? Vanuit de keuken komen

voetstappen mijn kant uit. Ik ga op de punten van mijn tenen staan, dan gluur ik snel over de hoge toonbank. Anke is er! Ik houd mijn adem in, langzaam loopt ze de zaak verder in. Haar kapsel danst zachtjes op en neer. Als in een vertraagde film komt ze dichterbij. Ze herkent me en ze glimlacht.
'Dag Casper! Zin in speculaasijs?'
Ik schud mijn hoofd.
'Nee, uh, ik kom iets anders vragen.' Anke kijkt over de toonbank. Ze wijst naar de poster in mijn hand.
'Heeft het daar iets mee te maken?' Ik knik. Dan zet ik een stap achteruit. Ik rol het affiche open. Anke trekt haar wenkbrauwen op.
'Wat mooi!' lacht ze. 'Mag ik die in de etalage hangen?' Dat valt dus mee. Ik hoef niks te vragen, Anke is me voor. Ze komt naar me toe en steekt haar hand uit. Ik geef haar de poster. Ze ruikt lekker, naar bloemetjes, denk ik. Ik kijk hoe ze de poster op het raam plakt.
'Romeo en Julia,' zegt ze, 'dat is een liefdesverhaal, niet?'
Ik knik. 'Mmmmm ...' zeg ik.
'En speel jij Romeo?'
Ik knik opnieuw. 'Spannend zeg,' lacht Anke. 'En wie speelt Julia?'
Ik haal mijn schouders op.
'Lies,' zeg ik zo gewoontjes mogelijk.
'Wie?' vraagt Anke nogmaals.
'Líés, zo heet ze.'

Anke kijkt me geheimzinnig aan.
'Is het een leuk meisje?' vraagt ze.
Ik haal mijn schouders weer op.
'Valt wel mee,' mompel ik.
Anke glimlacht. 'Ik hoop het voor jou, want ...'
Ik steek mijn hand in de lucht. 'Jaja, eh, ik moet verder,' kuch ik. 'Dag Anke,' zeg ik nog. En dan hol ik de Lekkerbek uit. Anke steekt haar hoofd nog even buiten de deur.
'Ik kom zeker kijken!' joelt ze. Ik steek mijn duim op. Ik heb het veel te warm in mijn jas, met één ruk trek ik de rits open. Dan blaas ik, ik voel me een beetje vreemd.

15. Hoelang, mama?

'Wat eet je?' vraag ik aan mama.
Ze laat me het potje zien. 'Yoghurt,' zegt ze. 'Heel gezond!' Ik stap naar de koelkast en trek de deur open.
'Mag ik iets anders nemen dan jij?' vraag ik.
Mama knikt. 'Zeker,' zegt ze. Ik pak een potje chocomousse uit de koelkast. 'Dit vind ik lekkerder dan yoghurt,' zeg ik. Mama knikt. Ze gaat op een kruk zitten, ik ga naast haar zitten. We zitten samen te eten. Het is stil, ik hoor mama slikken. Dan kras ik in mijn potje, het is al leeg.
'Dat was zalig!' zeg ik. Zal ik er nog eentje vragen? Mama zet haar potje weg en legt haar arm om me heen.
'Wanneer starten de repetities?' vraagt ze.
'Overmorgen,' antwoord ik.
Mama glimlacht. 'Dat wordt spannend, niet?'
Ik knik. 'Heel spannend, maar we beginnen niet meteen te spelen. We gaan eerst samen de tekst lezen en de regisseur gaat eerst naar ons luisteren. Dat heet de eerste lezing!'
Mama lacht. 'Heb je al geoefend?' vraagt ze.
'Of ik de tekst al gelezen heb?' zeg ik, 'Ja hoor, al zeker vier keer. Twee keer hardop.'
Mama kijkt me ernstig aan. 'Wanneer ga je vertellen waar het precies over gaat?' vraagt ze.
Ik schud mijn hoofd. 'Vergeet het mam, dat is niet goed,

het moet een verrassing blijven.'
Mama knikt. 'Ik begrijp het. Maar als ik je ergens mee kan helpen ...'
Ik lach hardop. 'Dan kom ik eerst naar jou, mam!'
Mama staat op en wandelt weg van de tafel. 'Je vertelt ons echt niks. Zelfs niks over de kostuums of zo, je papa en ik zijn benieuwd. Om van oma nog maar te zwijgen.'
Ik zucht, dat hoort ze. Mama draait zich om, ze kijkt me smekend aan. 'Oké,' zeg ik, 'ik zal je een klein beetje vertellen.'
Mama vouwt haar handen en ze sluit de ogen. 'Ik luister,' zegt ze zacht. Ik breng mijn mond tot vlak bij haar rechteroor. 'Het gaat over ...' en dan zwijg ik.
Mama doet één oog open. 'Houd me niet langer in spanning, Casper,' sist ze. Ik kijk om me heen of er niemand in de buurt is. Ik buig me weer naar mama. Ik zet mijn hand tussen mijn mond en haar oor.
'Ik word verliefd op Lies, en zij op mij. En we kussen veel!'
Mama's ogen worden groot, dan springt ze recht en gilt. 'Fantastisch, dat moet ik de mama van Lies vertellen!'
Ik kijk mama bang aan.
'Niet doen,' smeek ik. 'Ik heb Lies beloofd om niemand iets te verklappen.' Mama kijkt beteuterd.
Ik steek mijn vinger op. 'Niet doen!' zeg ik tegen haar. 'En zeg ook maar niks tegen oma. Want dan weet morgen iedereen in de straat het.'
Mama bijt op twee vingers. 'Beloofd!' zegt ze plechtig.

Dan komt ze weer naast me zitten. Haar ogen worden spleetjes. 'Vind jij Lies leuk?' vraagt ze. Ik haal mijn schouders op. Ik voel mezelf rood worden.
'Waarom vraag je dat, mama?'
Mama kijkt naar de nagels van haar rechterhand. Ze glimlacht. 'O, zomaar, Caspertje!'
Ik krijg het behoorlijk warm. Ik besluit om over iets anders te praten.
'Mama, ben jij nog steeds verliefd op papa?' Mama stopt even met ademen. Dat heb ik mooi geregeld. Ze weet even niet wat ze moet zeggen.
'Uh,' zegt ze, 'natuurlijk, natuurlijk!' Ik kijk haar aan en zeg niks. 'Ik bedoel, ik hou van je papa. En hij van mij. Ik weet niet of dat nog verliefdheid is.' Ze wordt een beetje rood. 'Verliefdheid gaat over, Casper. Je krijgt er iets anders voor in de plaats.'
Ik kijk haar vragend aan. 'Hoelang duurt dat dan, verliefd zijn?'
Mama haalt haar schouders op. 'Dat verschilt van mens tot mens en van verliefdheid tot verliefdheid.'
Ik ga bij het raam staan. 'Een maand? Een jaar? Tien jaar?' probeer ik. Mama glimlacht. 'Soms een minuut, soms een dag, soms een leven lang.'
Ik snap er niks van. Ik ga naar mama en geef haar een zoen op haar wang.
'Ik ga naar mijn kamer, mijn tekst oefenen.'
Mama zegt niks, ze kijkt dromerig de tuin in.

Ik oefen niet veel op mijn kamer, ik lig op mijn bed met de tekst naast me. Ik staar naar het plafond en denk diep na. Mama is dus niet meer verliefd op papa. Er is iets anders voor in de plaats gekomen, zegt ze. Mijn hoofd zit vol vragen, het zijn er wel zeven. Blijft verliefdheid niet vers? Is papa nog verliefd op mama? Is oma nog verliefd op opa, ook al leeft opa niet meer? Wanneer weet je dat verliefdheid over is? Hoe voelt dat? Spreek je dat samen af? Wat komt in de plaats van verliefdheid?

Ik snap er niks van. En hoe zit het met mij? Ben ik verliefd op Lies? Stel je voor dat het inderdaad zo is, maar dat het ooit overgaat. Ik vind het nu wel spannend, ik wil het zo houden. Als Lies in de buurt is, kan ik bijna niks zeggen, dat is gek en soms lastig, maar eigenlijk ook leuk. Maar is Lies ook verliefd op mij? Dat is een belangrijke vraag! Ik hoop van wel natuurlijk, want stel je voor dat het niet zo is ...
Kun je verliefd zijn op iemand, zonder dat die ander het weet? Misschien blijf ik wel voor altijd verliefd op Lies, zeker als zij het nooit te weten komt. Misschien moet ik daar dan maar voor zorgen. Misschien blijft mijn verliefdheid geheim, voor altijd ...
Ik vertrek naar de repetitie, maar eerst ga ik naar de wc en daarna naar de badkamer. Om mijn tanden te poetsen.

16. Cadeautjes kopen

Ik fiets naar het theater. Ik kijk op mijn horloge. Ik ben veel te vroeg. Ik heb nog meer dan een halfuur de tijd. Onderweg stop ik bij de bakker. Ik heb mijn zakgeld bij me, want ik wil cadeautjes kopen. Cadeautjes voor iedereen die ik graag mag. Zomaar. Ik wil iets kopen voor mama, papa, oma, Anke, Lies ... en voor Rambo. Ik stap af en doe mijn fiets op slot. Voor de etalage blijf ik staan. Ik wil iets zoets kopen, snoepjes of taart of cake. Of peperkoek. Dat is het! Oma is dol op peperkoek en Anke vast ook. Of de anderen er dol op zijn, weet ik niet. Ik ga de winkel binnen en ik wacht tot de dame voor me de winkel verlaat.
'Dag jongeman,' zegt de verkoopster. 'Waarmee kan ik je helpen?'
Ik kijk om me heen naar al het lekkers. 'Ik weet het niet zo goed, ik wil iets lekkers kopen voor vijf mensen en een hond. Het moeten aparte pakjes worden, liefst peperkoek.'
De bakkersvrouw glimlacht. 'Ik denk dat ik iets voor je heb. Kom je even mee?'
Ze neemt me mee naar achter naar de bakkerij en ze laat me een bakplaat zien. De bakplaat ligt vol met versgebakken peperkoek. Het zijn koeken in allerlei vormen. Ik zie gewone rechthoekige koeken, maar ook gezichtjes en sinterklazen. Bovenaan ligt een reeks hartvormige koeken. Ik weet het meteen.

‘Die wil ik!’ roep ik uit.
De verkoopster lacht luid. ‘Goed zo! Hoeveel wilde je er hebben?’
Ik tel nog even na op mijn vingers.
‘Zes pakjes graag!’
De verkoopster knikt. Ze toont me een rol glinsterende folie. ‘Zal ik ze hiermee inpakken?’
Ik knik.
‘En wil je rond elk hart een strikje?’
Ik lach. ‘Jazeker!’
Tien minuten later sta ik met een tas vol lekkers op de stoep.

17. De repetitie

Ik adem diep in, sluit mijn ogen en duw met mijn rechterhand de deur open. In de repetitieruimte wordt het stil. Iedereen kijkt naar me. Ik zie Lies, Roel, drie kinderen die ik niet ken en een man. Lies steekt voorzichtig haar hand op.
'Hoi Casper!' grinnikt ze. De man legt een boek op de tafel en stapt op me af. Hij heeft rood haar en een bril met dikke glazen. Ik zet mijn tasje neer en steek mijn hand uit.
'Casper,' zeg ik. De man grinnikt.
'Dat dacht ik al, mijn naam is Ruud en ik ben de regisseur.' Hij maakt een buiging voor me en grijpt dan mijn hand. 'Welkom, Casper Nova,' bromt hij.
'Dank je,' zeg ik. Dan neemt Ruud me bij de schouder mee naar de groep, hij kucht en kijkt iedereen ernstig aan.
'Dames en heren, geacht publiek, mag ik jullie voorstellen aan onze nieuwe acteur, Casper Nova!'
Een voor een komt iedereen me een hand geven. De twee jongens die ik niet ken, komen eerst dag zeggen.
'Hoi, ik ben Koenraad,' zegt de eerste.
'Dag Casper, mijn naam is Evert,' fluistert de tweede.
Het meisje heet Els. Ze draagt twee vlechtjes, ze ziet er grappig uit.
Dan komt Lies naar me toe, ze steekt haar hand naar me uit. 'Goeiedag meneer, wat fijn dat ik u hier mag ontmoe-

ten,' zegt ze plechtig. Ik grijp haar hand en zij trekt me dichter naar zich toe, dan geeft ze me voorzichtig een zoen op de wang.
'Wooooooooooowwww!' roepen Koenraad, Evert en Els.
'Gaat het een beetje!' lacht Roel. Ik bloos en knik. 'Wij kennen elkaar al langer,' zeg ik zachtjes.
Ruud klapt in zijn handen. 'Kom jongens, allemaal op het podium!' Dan neemt hij een aanloop en springt er moeiteloos op. Wijdbeens kijkt hij de zaal in.
'Kom op, waar blijven jullie?' De drie jongens en ik klauteren op het podium. De twee meisjes nemen de trapjes.
'Zitten!' zegt Ruud. Hij maakt een cirkelbeweging met zijn arm. Even later zitten we om hem heen. Ik zit tussen Lies en Roel, we kijken gespannen naar de regisseur.
Ruud glimlacht. 'Geef elkaar een hand,' zegt hij, 'en sluit nu jullie ogen.' De hand van Roel is warm en een beetje klammig. Die van Lies is heel zacht, ik voel dat ze ringen draagt. Ze knijpt eventjes. Ik gluur snel opzij en glimlach. Dan knijp ik op mijn beurt in haar hand.
'Auw,' fluistert ze. Het wordt heel stil, Ruud zegt niks meer. Ik kijk voorzichtig rond en merk dat iedereen de ogen gesloten houdt. Niemand zegt een woord en niemand beweegt.
Wat vreemd, denk ik. Het duurt een hele poos. Het duurt wel een volle minuut en dat vind ik verschrikkelijk lang.
Dan schraapt Ruud zijn keel. 'Hebben jullie het gehoord?' vraagt hij aan de groep. Iedereen knikt. Ik begrijp er geen

me los en wandelt traag naar de keuken. Onderweg draait ze zich om.
'Vertel je me dan bij de thee hoe je repetitie was?' Ik kijk haar aan en glimlach.
'Natuurlijk oma.' Ik plof neer op de bank en luister naar de geluiden uit de keuken. Het water stroomt en oma neuriet een liedje. Ik leg een kussen op mijn hoofd en zucht.
'Rot-Roel!' sis ik.

snars van en kijk vragend naar Lies en Roel.
Ruud glimlacht en kruipt op zijn knieën naar me toe. Hij kijkt me vragend aan. 'Heb je het gehoord, Casper?'
Ik haal mijn schouders op en steek mijn onderlip naar voren. 'Wat dan?' vraag ik.
Ruud legt zijn hand op mijn borstkas. 'Heb je je hart horen kloppen?'
Ik kijk verbaasd naar Ruud en knik.
Dan veert Ruud omhoog. 'In het theater draait alles om het hart! Je hart vertelt je wat je voelt, of iets spannend is, wanneer iets droevig is.' Ruud wijst naar Evert. 'Wat heb jij gehoord, Evert?' Evert zegt niks, maar ademt heel diep in en uit, dan wijst hij naar zijn borstkas.
'Correct!' zegt Ruud. 'In het theater is ademhaling net zo belangrijk als het kloppen van je hart! Wie niet goed ademhaalt, kan niet luid spreken. Wie niet goed ademhaalt, kan geen gevoelens spelen!' Veelbetekenend kijkt Ruud ons een voor een aan.
'We gaan ons opwarmen,' grijnst hij.
Iedereen gaat uitgelaten staan. Roel komt naar me toe. 'Dit is dikke fun, Casper, gewoon meedoen.'
Ik zie hoe Ruud van het podium springt en naar een geluidsinstallatie holt. Met één druk op een knop barst de hel los. Oorverdovende muziek dondert door het repetitielokaal. Lies, Els en de drie jongens beginnen wild te dansen.
'Kom op, Casper!' roept Ruud. Hij tilt me op en zwaait

me in het rond, ik lach luid en gebaar dat hij me neer moet zetten. Ik voel de kriebels in mijn benen en ik dans mee. Ik spring en ik hos van links naar rechts op het podium, Evert glijdt op zijn buik voorbij. Roel en Koenraad springen bij elkaar haasje-over op het ritme van de muziek. Lies en Els dansen met elkaar en Ruud schudt met zijn haren heen en weer.
Ik zie zwaaiende armen en lachende gezichten.
Dan zet Ruud de muziek af. Meteen wordt het muisstil. Mijn oren suizen een beetje. We hijgen allemaal en Ruud wijst dat we onze hand op onze borst moeten leggen. 'Ademhaling en hartgeklop!' piept hij. Hij gebaart dat we moeten gaan zitten. 'Neem je tekst erbij, snel!'
Meteen beginnen we hardop te lezen, ieder zijn eigen stukje tekst. Ieder zijn eigen rol. We hijgen nog na, maar dat is goed, het lijkt wel of we echt beleven wat we lezen. Het duurt drie minuten dansen op keiharde muziek om in Italië te komen. Italië is het land waarin het verhaal van Romeo en Julia speelt. Het is er warm en ik zweet een beetje.

18. Roel van Veen

De repetitie is afgelopen. Mijn hoofd tolt ervan. Voor het theatergebouw staan we nog wat te praten bij onze fietsen. Ruud sluit als laatste de deur van het gebouw en zwaait. 'Tot woensdag! Zorg ervoor dat jullie op tijd zijn.' We zwaaien hem na, terwijl hij in zijn oude rode Ford wegsputtert.
'Toffe kerel,' zeg ik. Lies glimlacht en kijkt op haar polshorloge.
'Het is al tegen vijven, ik moet naar huis.' Ik bedenk plots dat ik nog iets voor haar heb meegenomen van de bakker. 'Wacht even,' zeg ik, 'ik heb nog wat voor je.' Ik grijp in mijn tas en wil er het hart van peperkoek uithalen. Ik merk hoe de anderen nieuwsgierig naar me kijken. Ik wacht even en denk na. Zullen ze vreemd opkijken als ik een hart aan Lies geef? Lies kijkt me vragend aan. 'Kom op, Casper, je maakt me nieuwsgierig!' zegt ze. Ik kijk even naar de anderen, dan glimlach ik.
'Ik heb voor ieder van jullie iets meegebracht.' Ik trek mijn rugzak open en deel de hartjes van peperkoek uit.
'Lekker!' roept Evert.
'Dank je, Casper,' grinnikt Els. 'Ga je bij elke repetitie trakteren?' Ik haal mijn schouders op. 'Neen,' zeg ik. 'Dit is maar een verrassinkje, zomaar. Om de eerste repetitie te vieren.'
Roel stapt op zijn fiets.

'Ik lust geen peperkoek,' zegt Roel. Het hartje dat ik hem toesteek, blijft in mijn hand liggen.
'Jammer,' zeg ik. Ik stop het weer in mijn tas en Roel rinkelt met zijn fietsbel.
'Tot woensdag allemaal. Lies, ik bel je straks nog op om verder af te spreken. Goed?'
Lies zwaait naar Roel. 'Dat is goed Roel, tot straks!'
Heel even kijk ik van Lies naar Roel en weer terug.
Afspreken? denk ik. Wat moeten die twee afspreken?

Ik fiets naar huis. Ik trap hard door, de wind fluit om mijn oren. Ik rijd zo hard dat er tranen uit mijn ogen lopen.
'Rotwind!' snif ik. In mijn hoofd zitten Roel en Lies. Ik vind het helemaal niet fijn dat die twee met elkaar afspreken. Wat gaan ze afspreken met elkaar en doen ze dat wel vaker? En aan wie geef ik dat laatste hart?

Als ik thuiskom, staat oma bij het raam. Ze zwaait.
Wanneer ik binnenkom, kijkt ze me vragend aan.
'En Casper, hoe was je eerste repetitie?' Ik zeg niks maar haal het peperkoeken hart uit mijn tas.
'Voor jou,' zeg ik. Ze neemt me in haar armen en lacht.
'Lieve jongen, wat leuk!' Ik druk mijn neus in haar wollen trui en sluit de ogen, ze streelt met haar hand over mijn hoofd.
'Daar zal ik eens een lekker potje thee bij zetten.' Ze laat

me los en wandelt traag naar de keuken. Onderweg draait ze zich om.
'Vertel je me dan bij de thee hoe je repetitie was?' Ik kijk haar aan en glimlach.
'Natuurlijk oma.' Ik plof neer op de bank en luister naar de geluiden uit de keuken. Het water stroomt en oma neuriet een liedje. Ik leg een kussen op mijn hoofd en zucht.
'Rot-Roel!' sis ik.

19. Kussen?

'Iedereen de deur uit, behalve Lies en Casper!' roept Ruud. 'We gaan een stukje spelen dat, eh ..., dat even geen pottenkijkers nodig heeft!'
Roel, Evert, Koenraad en Els mopperen.
'Wat flauw, zeg!' pruilt Els. 'We weten best dat ze gaan zoenen!' Roel grijpt zijn tas en wandelt naar de deur.
'Er is vast niks aan,' blaast hij. 'Kom jongens, we gaan een beetje voetballen op het pleintje.' Voor ze de deur achter zich dichttrekken, steekt Koenraad nog snel zijn tong uit.
'Viezeriken!' roept hij. Ruud lacht luid, daarna wordt het akelig stil in het theater. Lies staat wat onwennig bij de rand van het podium. Ik doe alsof ik iets in mijn tekst zoek en blader wat door de bundel. Dan klapt Ruud in zijn handen.
'Zo dus, beste dame en beste heer, het grote moment is aangebroken.'
Ik sla mijn bundel dicht en kijk naar Lies. Ze kijkt niet naar mij, ze staart naar de grond.
'Stappen jullie op het podium?' vraagt Ruud. Ik laat Lies voorgaan. Ze sleept een beetje met haar voeten over de grond. Dan draait ze zich naar me om. Ze kijkt niet bepaald vrolijk.
'Kunnen we nog vluchten, Ruud?' zegt ze. Ik zet grote ogen op en doe of ik beledigd ben.
Ruud lacht. 'Zet het dan maar op een lopen, Lies, maar ik

denk dat Casper je zo inhaalt. Is het niet, Casper?'
Ik zeg niks. Het kriebelt onder mijn neus en ik denk aan mijn gepoetste tanden. Ik krijg het behoorlijk warm, de spots branden dan ook boven onze hoofden.
'Waar waren we gebleven?' zegt Ruud zacht, 'Oh ja, Casper-Romeo, jij stond hier. Lies-Julia, jij stond daar.'
Ruud zwijgt even. Hij bekijkt ons allebei.
'Uh,' zegt Ruud, 'ik denk dat jullie wel weten hoe je zoent?'
Lies en ik kijken elkaar aan.
'Wij hebben nog nooit gezoend,' zeg ik snel.
Ruud kijkt ernstig. 'Deze enige kus in het stuk is enorm belangrijk. Hij komt op het eind en dus moet hij wel goed zitten.'
Lies kijkt vragend naar Ruud. 'En vlak daarna gaat het gordijn dicht?'
Ruud knikt. 'Zo is dat, Lies. Sterker nog, terwijl jullie kussen, schuiven we de gordijnen al dicht. Zo hoeven jullie niet echt lang te zoenen. Akkoord?'
Lies kijkt naar mij. Ik steek mijn duim op.
'Hoe korter hoe liever,' zeg ik. 'Ik bedoel ...'
Lies kijkt me vragend aan.
'Wat bedoel je, Casper?' Ik haal mijn schouders op. 'Ach, ik weet helemaal niet hoe ik je moet kussen.' Ruud en Lies zeggen niks.
Lies kijkt Ruud aan. 'Ik weet het ook niet hoor, Ruud.'
Ruud schudt eens met zijn hoofd.

‘Oké,’ zegt hij, ‘Casper, wanneer jij zegt: “Julia, jij bent de ware voor mij ...”, sta je vlak voor haar. Je kijkt haar diep in de ogen en je neemt haar hand vast of zo. Met je andere hand streel je door haar haar. Lies, dan zeg jij: “O Romeo ...” en dan sluit je je ogen. Dan kussen jullie. Het doek valt. Klaar is Kees.’
Lies lacht luid. ‘Zo simpel!’
Ik grinnik mee. ‘Zo simpel dus ... Ruud, is het goed als ik haar op de wang zoen, of moet ik, eh ...’ Ruud staat voor het podium. Hij kijkt op naar Lies en mij.
‘Ademhaling en hartgeklop, Casper,’ zegt hij.
‘Ademhaling en hartgeklop ...’ herhaal ik zacht.
Ik sluit mijn ogen en adem in. Ik besluit om de eerste zoen toch maar op haar wang te geven. Ik tril een beetje. Dan zeg ik: ‘Julia, jij bent de ware voor mij ...’ Ik sluit mijn ogen en voel hoe Lies vlak bij me staat. Ze grijpt mijn hand en legt die op haar arm. Dan grijpt ze mijn andere hand en legt die op haar hoofd. ‘Streel mijn haar!’ mompelt ze. Ik gluur met mijn rechteroog en merk dat haar gezicht vlak bij het mijne is. Ze bijt op haar lippen en haar ogen lachen. Ik kan een glimlach niet onderdrukken.
‘Casper!’ gniffelt ze. Samen proesten we het uit. Regisseur Ruud schudt het hoofd. ‘Jongens jongens jongens, dit belooft ...’ Lies en ik kijken elkaar aan. We proberen ernstig te kijken.
‘Opnieuw!’ roept Ruud.

20. De dag van de eerste voorstelling

Het is zaterdagochtend en ik lig in mijn bed. Ik kijk opzij naar de klok, het is halftien. Alleen mijn neus en ogen komen boven het dekbed uit. Ik staar naar het plafond. Naast me, op het nachtkastje, ligt de tekst. Ik ken mijn rol perfect uit het hoofd. Geen wonder, oma en ik hebben de voorbije weken elke dag geoefend. Als ik uit school thuiskwam, stond ze klaar.
'O Romeo,' lachte ze elke keer als ik binnenkwam, 'laten we snel oefenen. Voor je mama en papa thuiskomen!'
Mijn schooltas vloog elke keer meteen aan de kant. We speelden alles behalve de kusscènes. Oma is de enige hier in huis die weet waarover het stuk gaat. Ze speelt de rol van Lies perfect! Ze zegt me elke dag dat ze zo graag zou meespelen. Mama en papa weten niets over het stuk. En oma zwijgt als het graf. Ze moet het nog een paar uur volhouden, want vanavond is de première. Dat is de eerste voorstelling.
Zenuwachtig ben ik niet, maar vrolijk evenmin. Ik denk aan Lies en aan Roel. Ze zijn overduidelijk nog steeds de beste maatjes. Roel gaat geregeld duiken en Lies gaat soms mee. Dat vind ik helemaal niet fijn. Ik ga op mijn buik liggen en probeer aan iets anders te denken. Beneden in de woonkamer hoor ik de telefoon rinkelen. Iemand neemt de hoorn op. Vlak daarna gaat de deur van de gang open.

RUUD

'Cásper!' roept mama luid. 'Kom eens naar beneden, Ruud is aan de telefoon!'
Ik spring uit mijn bed en trek snel mijn pantoffels aan. Dan dender ik de trap af en kom hijgend aan het toestel.
'Met Casper, dag Ruud!' zeg ik. Ruud klinkt ernstig.
'We hebben een probleem, Casper,' zegt hij, 'en geen kleintje ...'
Ik ben meteen klaarwakker.
'Het gaat over Lies,' gaat Ruud verder. 'Ze is ziek.'
Ik weet even niet wat ik moet zeggen en Ruud gromt. 'Ze heeft veertig graden koorts, de griep waarschijnlijk.'
Ik blaas. 'Hoe moet het dan verder vanavond?' vraag ik bezorgd. 'Kunnen we dan wel spelen?'
Het is stil aan de andere kant van de lijn. Ik hoor Ruud diep zuchten.
'Er is misschien wel een oplossing,' zegt Ruud zacht, 'Lies heeft een tweelingzus ...'
Mijn hoofd tolt. 'Ruud, bedoel je dat Jos de rol van Lies overneemt? Dat kun je niet menen!'
Het blijft even stil aan de andere kant van de lijn.
'Er zit niks anders op,' zegt hij, 'maar maak je geen zorgen. Ze heeft altijd thuis met Lies geoefend. Ze kent de rol van Lies perfect. Ik denk dat ze een goede actrice is ...'
Ik ga op de grond zitten en staar naar de hoorn.
'Hallo, Casper?' kraakt het.

21. Première

Het is muisstil in de zaal. De laatste scène uit het stuk begint. Ik sta midden op het podium, samen met Jos. We zijn gevangen in het licht van een spot. Onze schaduwen vallen op het decor. Het lijkt wel of er vier acteurs op het podium staan.

'O, Julia, jij bent het mooiste en het liefste meisje van de wereld,' zeg ik lief. Ik stap op Jos toe en leg mijn rechterhand op haar arm. Met mijn linkerhand streel ik haar kapsel. Ik kijk in haar ogen. Jos kijkt verliefd naar me. Ze glimlacht en ze streelt mijn gezicht. Dan pak ik haar vast. Heel even denk ik dat ik Lies in mijn armen houd.
'O, Romeo, mijn allerliefste vriend van heel de wereld,' zucht ze. Dan drukt ze zich stevig tegen me aan, ze knijpt me haast fijn. 'Beloof je me dat je altijd bij me blijft, lieve Romeo?'
Ik kijk niet in haar ogen deze keer, maar ik kijk over het publiek in de verte. 'Jij en ik, wij blijven voor eeuwig en altijd samen, Julia!' zeg ik.
Jos duwt haar neusje in mijn hals en ik geef haar heel voorzichtig een zoen op de wang. Langzaam schuift het doek dicht. Ik voel de ademhaling van Jos in mijn hals en mijn hart bonst in mijn keel. Dan valt het doek. Applaus barst los. Langzaam schuift het gordijn weer open. De mensen in de zaal staan recht en joelen. Ik houd Jos nog

steeds in mijn armen. Ik kijk in haar ogen en ik zie pretlichtjes. Er worden foto's gemaakt. Dan grijp ik haar hand en samen buigen we. En nog eens. Tot vijfmaal toe.

Na de voorstelling is het een drukte van je welste in de foyer. Ik word gezoend door al mijn tantes, mijn ouders en oma Moes. Ze vertellen me hoe goed ze het wel vonden, maar ik wil maar één ding: weg van de drukte.
'Mama, mag ik je telefoon even lenen?'vraag ik.
Mama kijkt me verbaasd aan, maar ik steek mijn hand al naar haar uit. Ze haalt haar telefoon uit haar tas.
Ik gris het mobieltje uit haar handen en hol ermee naar de kleedkamer, want daar is het rustiger. Razendsnel toets ik het nummer in dat ik zo goed ken.
'Hallo?' klinkt het zwakjes aan de andere kant, 'met wie spreek ik?'
Ik kuch even. 'Dag Lies,' zeg ik zacht, 'hoe voel je je?'
Lies hoest. 'Slecht,' zegt ze. 'Ziek zijn is niet erg, maar niet met jou optreden vanavond is nog veel erger.'
'Ik vind het ook heel jammer dat ik dit niet met jou kan doen,' zeg ik, 'uh, en zeker het einde niet!' flap ik er nog uit.
Het is even stil, maar dan hoor ik Lies zachtjes lachen.
'Een toneelkus is geen echte kus, hoor,' grinnikt ze. 'Denk je dat ik jaloers ben op mijn zus?' Ik blaas luid, ik weet niet wat ik hierop moet antwoorden. 'Uh, een beetje wel, ik bedoel maar, dat hoop ik!' zeg ik snel.

‘Een beetje wel,’ zegt Lies. ‘Natuurlijk ben ik wel een beetje jaloers, wacht maar tot ik genezen ben, dan halen we al die verloren zoenen in. Afgesproken?’
Ongelovig kijk ik naar de telefoon. ‘Afgesproken, mijn allerliefste Julia!’
Lies hoest. ‘Tot gauw, mijn allerliefste vriend van heel de wereld.’

Een deel van de opbrengst van dit boek komt ten goede aan projecten van Unicef.

AVI 7

1e druk 2006

ISBN 90.276.6317.3
NUR 282

Vormgeving: Rob Galema

Voor België:
Zwijsen-Infoboek, Meerhout
D/2006/1919/108

ROMEO & JULIA
Starring
Casper & Lies